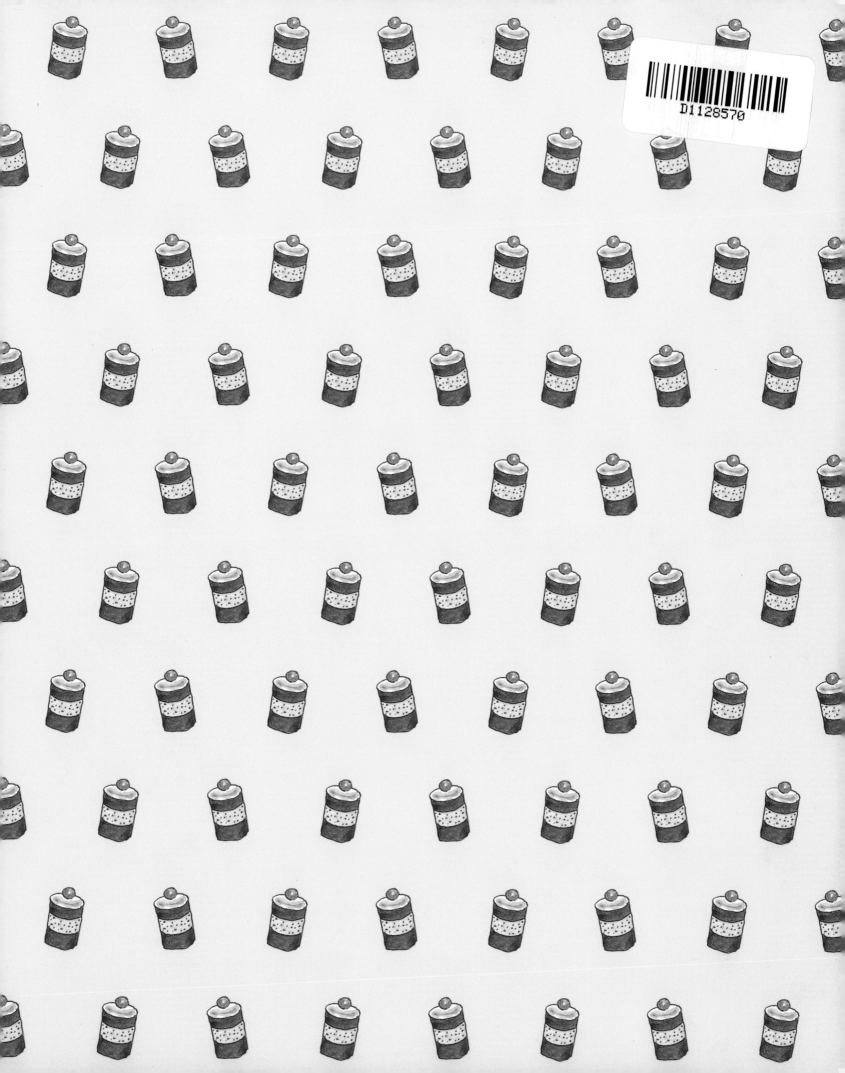

www.casterman.com

Casterman
Cantersteen 47
1000 Bruxelles

Publié en Belgique par Uitgeverij Lannoo nv., sous le titre : Verjaardag met Taart.
© Thé Tjong-Khing, 2010

ISBN : 978-2-203-11036-6
N° d'édition : L.10EJDN001641.N001

© Autrement 2011 pour la première édition française
© Casterman 2016 pour la présente édition

Achevé d'imprimer en janvier 2016, en Slovénie.
Dépôt légal : mars 2016 ; D.2016/0053/199
Déposé au ministère de la Justice, Paris (loi n°49.956
du 16 juillet 1949 sur les publications destinées à la jeunesse).

Thé Tjong-Khing

La fête d'anniversaire

les Albums Casterman

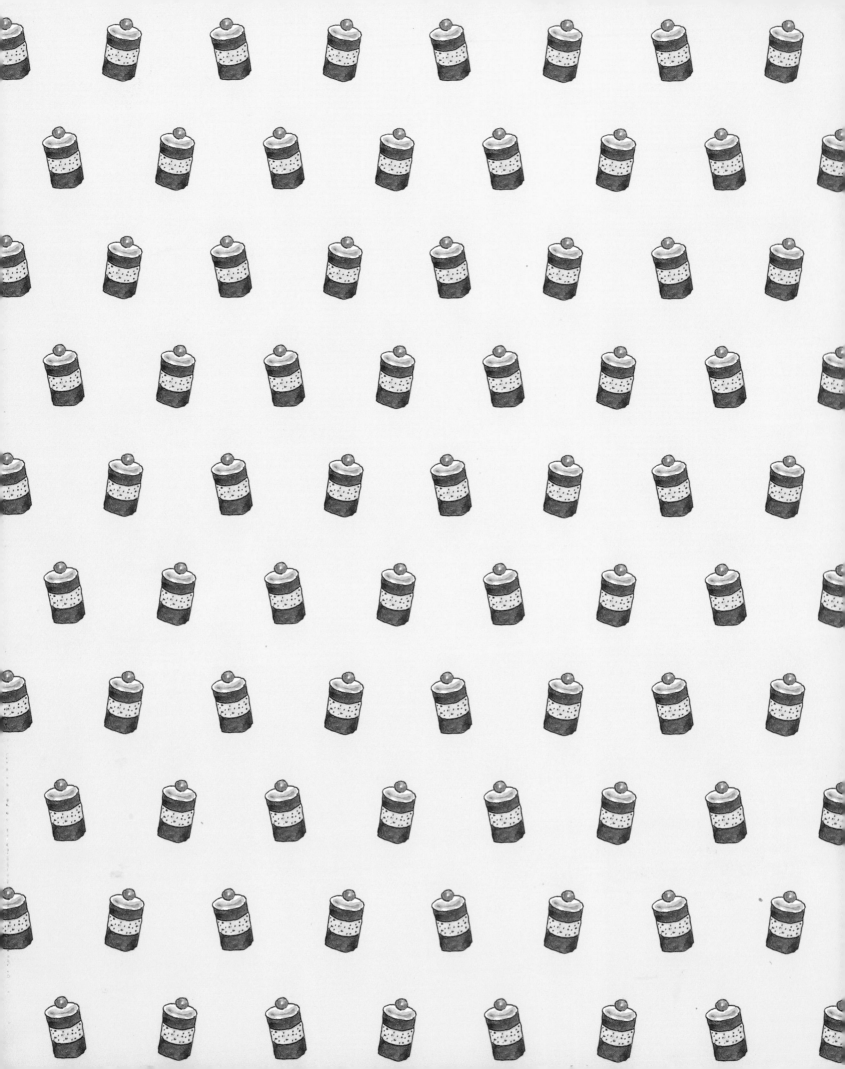